LUBI WIATRACZKI i

CZAPY!

MIŚ RÓŻNE KOSZULKI MA!

i STRÓJ NA LATO!

WOJCIECH BONOWICZ

BAJKI MISIA FISIA

ILUSTRACJE

BARTEK „FISZ" WAGLEWSKI

O AUTORZE

Misiu Fisiu nie umie pisać. Dlatego bajki zapisuje Miś Foremka, jego przyjaciel. Niewykluczone, że Miś Foremka czasem coś przekręci i zapisze nie tak, jak Misiu Fisiu powiedział. Ale to chyba nie zdarza się często. Foremka we wszystkim, co robi, jest bardzo dokładny.

Bajki Misia Fisia są krótkie, bo Misiu Fisiu może się skupić tylko na bardzo krótko. Kiedy się skupia, wygląda bardzo śmiesznie, jak każdy, kto się zamyśli. Może ktoś z Was powie: to wcale nie są bajki, tylko jakieś powiedzonka! Albo: to takie małe historyjki, małe prózki, żeby było weselej. Dla Misia Fisia małe prózki to właśnie bajki, od których robi się trochę weselej. Weselej, czyli – lżej.

„DLACZEGO
W TYCH RYBACH
NIE MA RZEKI?"

SPYTAŁ CHŁOPIEC.

ŚMIEJCIE SIĘ, ŚMIEJCIE.

ŁATWO SIĘ PRZEJĘZYCZYĆ,
KIEDY SIĘ PATRZY
NA TYLE PUSTEJ WODY.

ZNACZKI

Starszy pan się rozpłakał:
„Przez te wszystkie lata
zbierałem znaczki,
a listy
wyrzucałem".

BRODA

Król zauważył, że ma zbyt długą brodę i wezwał fryzjera, żeby mu ją skrócił. Ale kiedy fryzjer dotknął królewskiej brody nożycami, zaczęły się z niej wysypywać złote ZEGARKI, BRELOCZKI, guziki, JAKIEŚ zdjęcia, jakieś USTAWY, NABOJE do piór i SAME PIÓRA, a nawet wypadł z niej jeden krasnoludek i z okrzykiem „Sajonara!" poleciał na podłogę.

— To jak? Skracamy? — zapytał uprzejmym głosem fryzjer.

— Tak, ale delikatnie i tylko po bokach — odparł król i kazał przynieść krasnoludkowi ROSOŁU na wzmocnienie.

LAS

Dziewczynka **ZGUBIŁA SIĘ** w lesie.

Płakała, bo **NIE POSŁUCHAŁA** rodziców.

Teraz musiała **SŁUCHAĆ** lasu.

POTRZEBY

Niektóre dzieci jedzą kredę.

Pewien chłopiec nie umiał się opanować:
przed lekcją musiał ukraść spod tablicy
przynajmniej jeden kawałek kredy.

„Dzieci, żeby mieć mocne kości, potrzebują wapnia",

powiedziała pani na godzinie wychowawczej.

Nie mogła tego zapisać na tablicy, bo nie było czym.

PRZEPAŚĆ

DRZEWO ROSŁO NAD URWISKIEM.

BEZ LĘKU PATRZYŁO W PRZEPAŚĆ.

CZASEM PTAKI SZYBOWAŁY NAD NIM, CZASEM POD NIM.

A RAZ ZŁAPAŁO CZŁOWIEKA,

KTÓRY POMYLIŁ SOBIE KIERUNKI:

ZAMIAST SKOCZYĆ W GÓRĘ,

RZUCIŁ SIĘ W DÓŁ.

PÓŁMISEK

Na półmisku leżało kilka jabłek,

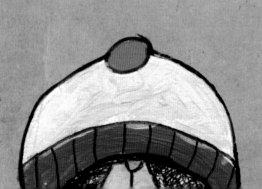

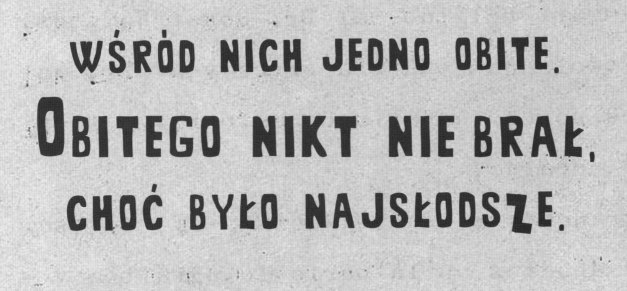

WŚRÓD NICH JEDNO OBITE.
OBITEGO NIKT NIE BRAŁ,
CHOĆ BYŁO NAJSŁODSZE.

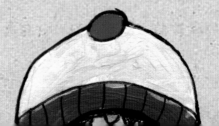

STRUŚ

STRUŚ **NIE CHOWA** ZE STRACHU
WYMYŚLILI TO LUDZIE,
BO IM WSTYD,
KIEDY TAK ROBIĄ.

GŁOWY W PIASEK.

KSIĘŻNICZKA

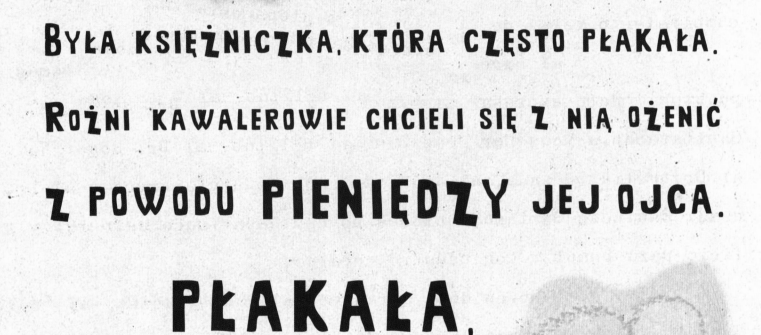

Była księżniczka, która często płakała.

Rożni kawalerowie chcieli się z nią ożenić

z powodu **PIENIĘDZY** jej ojca.

PŁAKAŁA,

PŁAKAŁA,

aż w końcu zaczęła nienawidzić.

BOGACZ

ŻYŁ SOBIE BOGACZ, KTÓRY **MIAŁ DUŻO DZIECI.**

JEGO DZIECI **NIE BYŁY** SZCZĘŚLIWE,

ALE **MIAŁY**

WSZYSTKO.

FOTEL

Pewien chłopiec

SKAKAŁ I SKAKAŁ

po fotelu swojego dziadka.

W KOŃCU FOTEL SIĘ ZAPADŁ

I CHŁOPIEC WPADŁ DO ŚRODKA.

DZIADEK BYŁ ZŁY, SMUTNY

I PROSIŁ BABCIĘ, ŻEBY GO NIE POCIESZAŁA.

SŁOŃ

Dziewczynka opowiedziała taką historię:
„Pewnego razu, kiedy się kąpałam,
do wanny wskoczył słoń.
Cała wanna wylała się na podłogę.

I WSZYSTKO BYŁO **NA MNIE**,

BO KIEDY RODZICE WESZLI DO ŁAZIENKI,

SŁOŃ ZNIKNĄŁ. MAMA BYŁA ZŁA,

A SĄSIEDZI Z DOŁU ZADZWONILI DO ADMINISTRACJI

Z POWODU PLAMY".

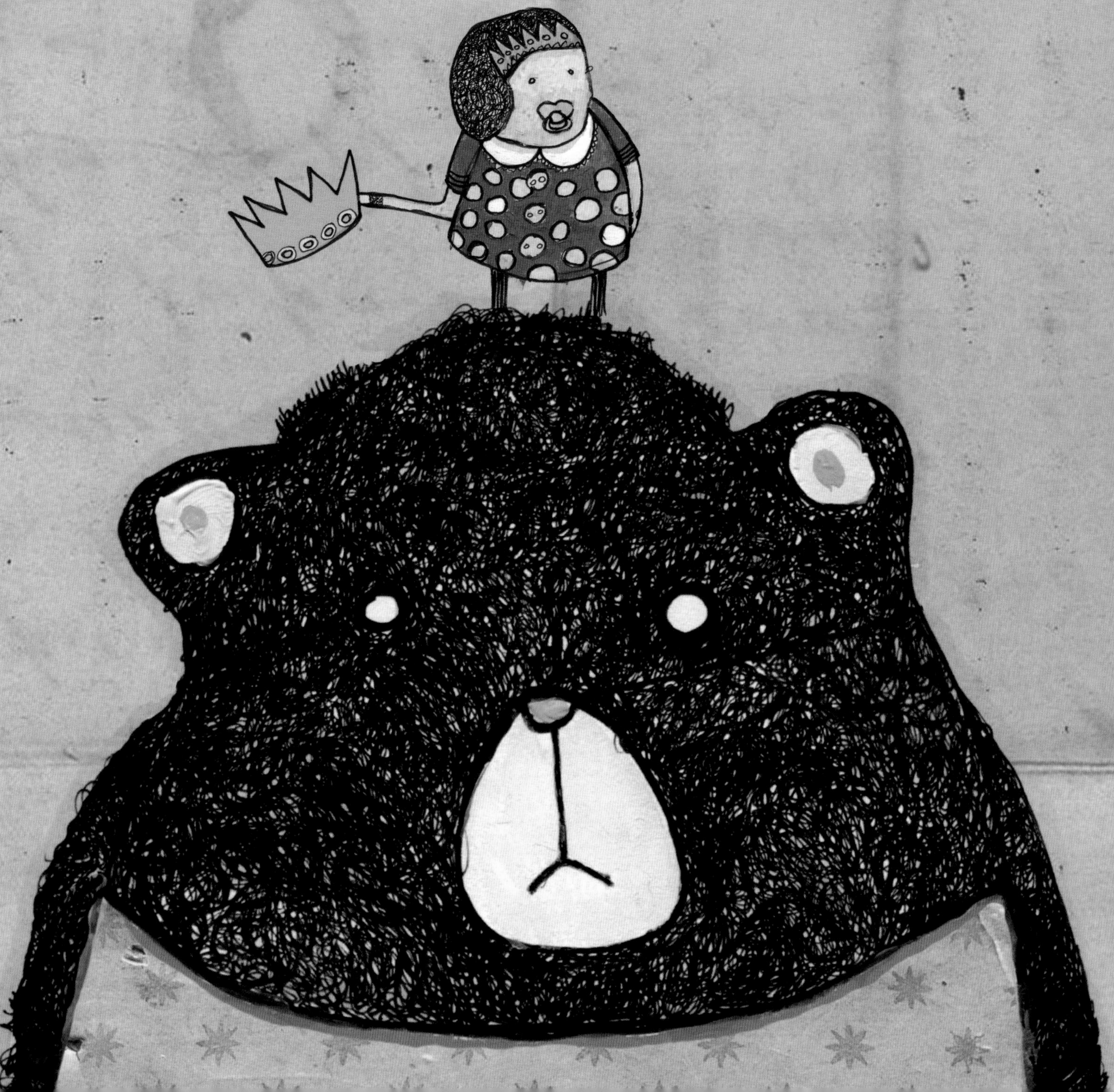

PÓŁ KRÓLESTWA

Ta sama dziewczynka innym razem opowiedziała bajkę:

„Król ogłosił, że kto rozśmieszy jego córkę królewnę,

TEMU ODDA JEJ RĘKĘ ZA ŻONĘ

I PÓŁ KRÓLESTWA.

Ze wszystkich stron przyjeżdżali rycerze.

Starali się, wygłupiali, skakali z murów do fosy,

ALE TYLKO KONIE SIĘ ŚMIAŁY."

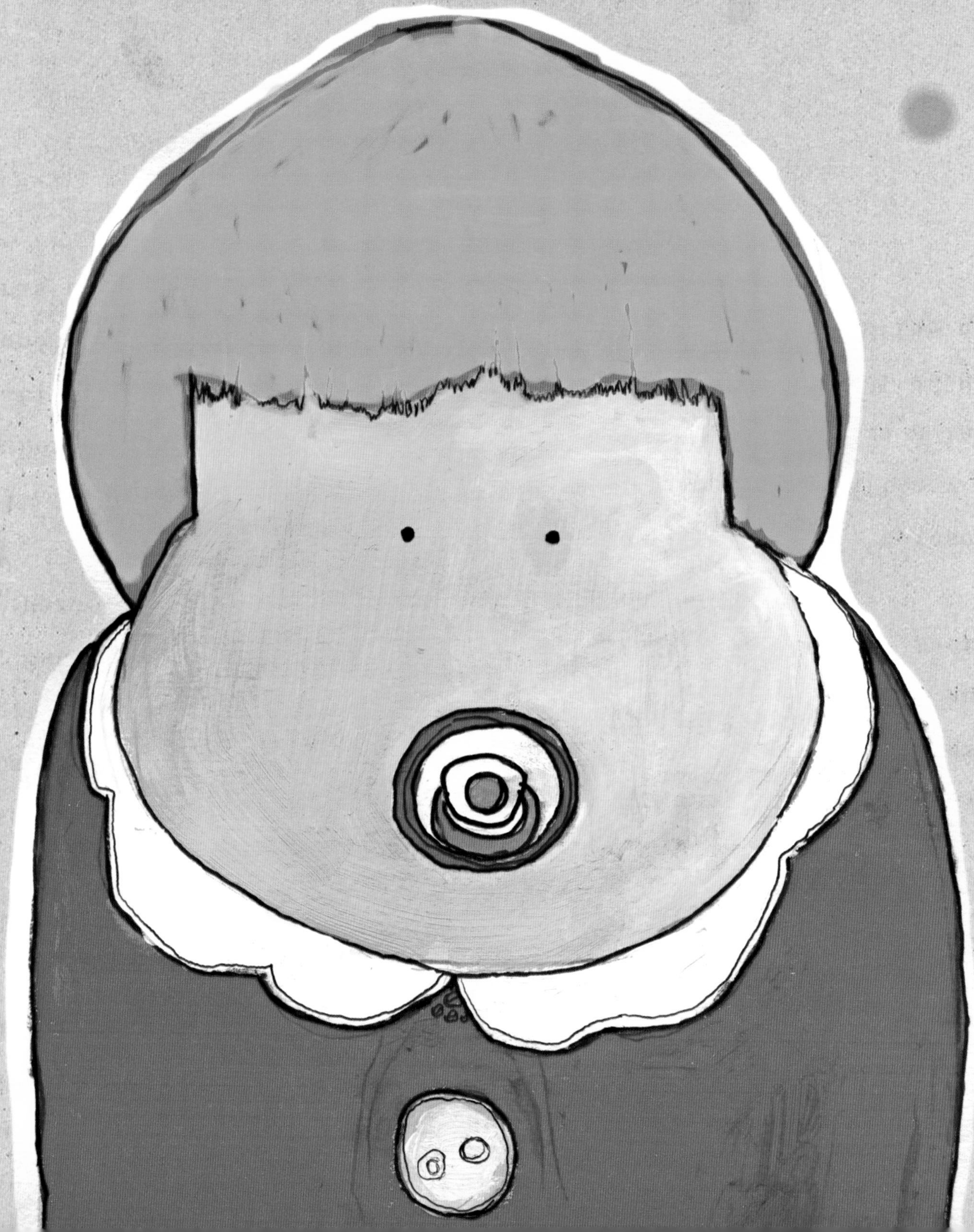

LALKA

GRUBA DZIEWCZYNKA DOSTAŁA SZCZUPŁĄ LALKĘ.
DZIEWCZYNKA PRZYTULAŁA LALKĘ I WYOBRAŻAŁA SOBIE,
ŻE KIEDYŚ TEŻ BĘDZIE TAKA SZCZUPŁA.
A LALCE ROBIŁO SIĘ PRZYJEMNIE,
BO DZIEWCZYNKA BYŁA MIĘCIUTKA.

PIES

PIES **LUBIŁ CHODZIĆ** ZE SWOIM PANEM.

PAN Z TRUDEM UTRZYMYWAŁ W DŁONI

ZAŚLINIONĄ SMYCZ.

PIES PAKOWAŁ SIĘ PANU POD NOGI,

UDAJĄC, ŻE CHCE GO PRZEWRÓCIĆ.

KIEDY WRACALI DO DOMU, HERBATA BYŁA GOTOWA.

PANI DAWAŁA PSU CIASTKO

I POKAZYWAŁA PALCEM, CZEGO ROBIĆ **NIE WOLNO.**

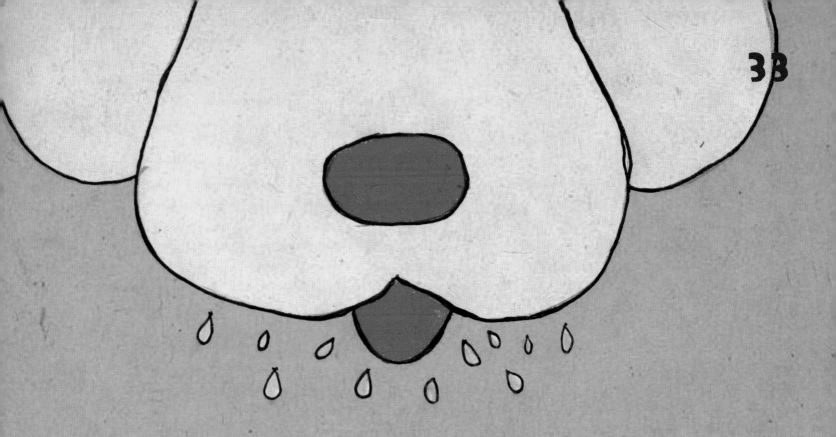

PIES PATRZYŁ JEJ GŁĘBOKO W OCZY
I MYŚLAŁ O DRUGIM CIASTKU.
LEŻAŁO NA STOLE.

PRZED MUZEUM

Duża rzeźba i mała dziewczynka.

Rzeźba przedstawia półnagiego pana,

który w jednej ręce ma sieć, a w drugiej trójząb.

Dziewczynka się go nie boi,

ale byłoby lepiej, gdyby na głowie pana

usiadł PTAK. Na głowie

albo na trójzębie.

UCIECZKA

Krasnoludki to takie mniejsze dzieci.
Narodziły się z tęsknoty dorosłych, żeby
prawdziwe dzieci można było schować
DO KIESZONKI NA PIERSIACH
I MIEĆ JE ZAWSZE PRZY SOBIE.

Ale krasnoludki uciekły z kieszonki,
założyły w snach własne państwo
i stały się psotliwe.
Nie da się ich namówić do powrotu.

LEW

LEW JEST W ŚRODKU PUSTY.
DLATEGO MUSI SZYBKO KOGOŚ

ZJEŚĆ

I WTEDY NA JAKIŚ CZAS

ZNÓW BĘDZIE PEŁNY.

I TAK W KÓŁKO.

BUTY

Pewna pani o osiemnastej

wyszła z fabryki,

ale dopiero w mieszkaniu zauważyła,

że ma na stopach dwa RÓŻNE buty.

I ROZPŁAKAŁA SIĘ.

I zaczęła tak strasznie szlochać.

Bo PRZECIEŻ BUTY
SĄ CZŁOWIEKOWI
NAJBLIŻSZE.

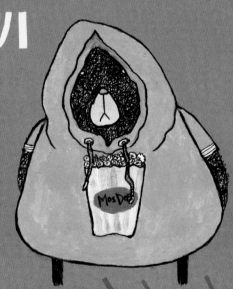

GLOBUS

Pewien chłopiec lubił spędzać czas ze swoim globusem.

Nie szukał na nim PAŃSTW

ani MIAST, ani GÓR,

ani RZEK, ani OCEANÓW.

PO PROSTU NIM KRĘCIŁ.

ZAKOŃCZENIE

Jest wieczór i wszyscy siedzą w kuchni. Misiu Fisiu wydłubuje bułeczkę, kot śpiwór sapie przez sen pod stołem, a Miś Foremka odczytuje na głos kolejne bajki.

— Czy one nie są zbyt smutne? — pyta niespodziewanie Fisiu.

— Nie, skąd — odpowiada Foremka. — Są w sam raz. Takie akurat: niby smutne, a właściwie pogodne.

Fisiu przez chwilę dłubie bułeczkę w milczeniu.

A potem mówi:

– Zupełnie jak deszcz: kiedy pada,
jest nudno i przyjemnie.

A po kolejnej chwili milczenia, dodaje:

– I jak niebo: niby niebieskie,
a właściwie nie wiadomo jakie.

I zadowolony z siebie wkłada
wydłubaną bułeczkę do ust.

SPIS TREŚCI

Copyright © by Wojciech Bonowicz 2012

Opieka redakcyjna
Katarzyna Janusik

Opracowanie typograficzne okładki i wnętrza książki
Marta Przybył

Korekta
Magdalena Zielińska

ISBN: 978-83-240-1755-3

Książki z dobrej strony: WWW.ZNAK.COM.PL
Społeczny Instytut Wydawniczy Znak sp. z o.o., 30-105 Kraków, ul. Kościuszki 37
Wydanie I, Kraków 2012
Dział sprzedaży: tel. (12) 61 99 569, e-mail: czytelnicy@znak.com.pl

Druk: Legra, Kraków

MIŚFIŚ WSPANIAŁY JEST!!!

i TAK POTRAFI TEN MIŚ!!!

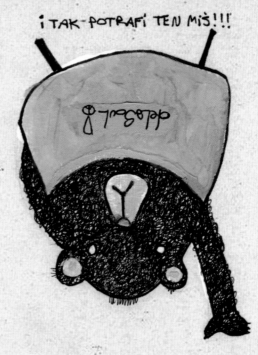

i STAĆ NA JEDNEJ NODZE POTRAFI

O! i TAKA MA CZAPKĘ ŚMIESZNĄ!